Verbum ❦ POESÍA

CIMARRONA

LILLIAN GUERRA

Cimarrona

EDITORIAL  Verbum

© Lillian Guerra, 2013
© Editorial Verbum, S. L., 2013
Eguilaz, 6, bajo izquierda. 28010 Madrid
Teléf.: 91 446 88 41
e-mail: editorialverbum@gmail.com
www.verbumeditorial.com
I. S. B. N.: 978-84-7962-916-8
Depósito Legal: M-20532-2013
Diseño de cubierta: Pérez Fabo
Imagen de cubierta, © Manuel López Oliva,
Monólogo (2005), 80 x 55 cm, acrílico sobre lienzo
Preimpresión: Origen Gráfico, S. L.
Printed in Spain /Impreso en España por
DISEÑO DIGITAL TECNOLÓGICO, S.L.

ÍNDICE

Cimarrona

La voz lírica en un poemario va configurando a una persona, a alguien que habla de poema a poema, esbozando una personalidad y una narrativa individual. Sabemos que es un simulacro, que ese ente guarda una relación si no tenue, sí muy complicada con el poeta de carne y hueso que firma el libro. Pero el perfil de ese rostro, la silueta de ese cuerpo, adquieren una realidad determinante para el lector y su interpretación de cada poema, de cada verso, de cada palabra, y del libro entero. Me atrevo a bosquejar a la poeta que se perfila en *Cimarrona*, el libro de Lillian Guerra. Se trata de una cubana insatisfecha por la imposibilidad de alcanzar un amor pleno por culpa de las prohibiciones históricas de la cultura, y los actuales prejuicios que guían la conducta sexual, inclusive los más "avanzados" que condenan el machismo, y que pudiéramos poner bajo la rúbrica del feminismo. No hay ñoñerías pasadas ni vigentes en *Cimarrona*, la hipocresía queda totalmente descartada. La liberación que anhela la voz de mujer que habla en estos poemas es aquella que le permita poseer sin restricciones al hombre que desea, con todas sus fallas, pero también con todo su perturbador atractivo físico. La clave aquí es el deseo, que se expresa en *Cimarrona* con una franqueza que linda con una especie de pornografía poética. Aparte de sus otros logros, esa desfachatez en una voz poética de mujer es el aspecto más original del libro, que se me hace por eso único entre los que conozco escritos por mujeres.

La poeta se declara de ascendencia africana, lo que explica el título, que también apunta a una dimensión fundamental de éste: la historia. Sabemos que los cimarrones eran los esclavos fugados que se refugiaban en la manigua para escapar a la persecución de sus dueños. Aquí "cimarrona" significa "rebelde," "huida," capaz de sobrevivir por sí sola impulsada por el erotismo que la domina y da sentido a su vida y provoca su ansia de libertad. Hay otras alusiones históricas, como por ejemplo al origen del Nuevo Vedado, región reservada por la colonia para que sirviera de barrera contra corsarios y piratas, y también muchas otras referencias a la Cuba postrevolucionaria -la "sociedad utópica-desengañada." Este contexto histórico sitúa a la voz poética en el tiempo, le da densidad ontológica; no es sólo verbo desasido sino palabras con resonancias de eventos y acontecimientos señeros. Pero estos son sucesos sin sucesión, que no han abolido las restricciones que coartan el amor, única vía de escape. Lo que tiene en común esto con los cimarrones es el predominio del cuerpo, que éstos tenían que poner a salvo de encierros y castigos ocultándolo. No se trata en *Cimarrona* de la libertad abstracta de los pronunciamientos políticos y de la patriotería mojigata; éstas es una libertad física, de cuerpos enlazados en sábanas sudadas, entregados a caricias minuciosas y ardientes: "esas pequeñas golosinas / que nos damos al besarnos / al llenarnos los vacíos."

La poesía moderna se hace de ritmos y cadencias afines a emociones y significados, ausentes desde hace tiempo las prescripciones prosódicas de metro y rima. *Cimarrona* está compuesto de poemas largos, de gran aliento, con rimas ocasionales y ritmos dictados por la longitud variable de los versos, que alternan, como en las clásicas silvas, entre largos y cortos. No se apela al obvio jadeo del sexo, pero no se desdeña tampoco lo rítmico inherente al eros, presente en la respiración de estos poemas. A veces hay diálogos, como el del primer poema entre la voz poética y una pitonisa, u otros entre la voz poética y el amante sorprendido -yo lo imagino así ante el agradable asombro del deseo femenino.

10

No es *Cimarrona* un libro atravesado por la literatura o cundido de recursos poéticos, pero hay poemas con atractivas aliteraciones y juegos de palabras -"pescador de pecados," "cazadora no casada"-, además de algunos versos verdaderamente memorables, como "y camas cargadas de culpa," o "estirado sobre el lecho del hábito." Hay hasta algunos de un lirismo más tradicional, como "sangre extraída/de las entrañas de un clavel." La única alusión literaria es a Neruda, como un recuerdo que comparte con el amado, suponemos que de *Veinte poemas de amor y una canción desesperada,* y un eco, probablemente inconsciente de Wallace Stevens. Al final de "Sunday Morning," leemos: "At evening, casual flocks of pigeons make / Ambiguous undulations as they sink, / Downward to darkness, on extended wings." *Cimarrona* concluye con "la paloma blanca / que estira sus alas / en el umbral del amanecer."

Lillian Guerra es una historiadora cubana con amplias publicaciones sobre historia de Cuba, catedrática en la Universidad de la Florida en Gainesville. Esto se nota en la dimensión histórica de *Cimarrona* y también en su independencia del legado literario, que sospecho no habría sido posible de ser ella profesora de literatura. Se nota también en la frescura de su vocabulario, que tampoco delata, por cierto, intromisión de su prosa académica. Esa frescura es afín a la frescura con que aborda temas eróticos, en su libertad para manifestar el amor en un lenguaje que es poético sin ser literario, como en un acto amatorio sin restricciones, que obedezca sólo al ardor del apetito carnal.

Roberto González Echevarría
Northford, Connecticut, julio del 2013

Visita a la adivina y otros desafíos

¿Cómo enamorar a un amor desconocido?

repite la adivina
labios torcidos
bola de cristal nublado
mirada confundida

título de clarividente comido
por ese comején de desconfianza
que cria la inseguridad desafiante, profunda,
mía

Sí, le contesto, mi tono afirmativo
es que no atina
porque no entiende
porque aún no capta
porque todavía desconoce
este amor descontrolado

despacio
caliente
cargado

por mil ilusiones y brisas frías
que me llevan de la tundra de los juristas
(cada noche)
a los jardines tropicales de mis ancestros africanos

(cada día)
para que los espíritus me abracen de nuevo
al llegar
y luego me nieguen la herencia
al terminar
sin admitir la necesidad siquiera de descifrar
mi identidad de
malabarista masoquista
bruja arrepentida
pirata postiza
virgen violada
cocinera cortesana
comerciante de belleza bíblica
ciudadana tardía

¿Y cómo lo vas a reconocer si no lo ves nunca?

la contemplo
sin respuesta
sin entender

porque la presencia suya
la siento en la madrugada
cuando se acuesta a mi lado
y me envuelve en su calor soterrado
bajo sábanas del porvenir sublimado
por el deseo
de esperarme en el muelle de la mente
besarme a espaldas de la gente

gozarme en la playa de mis pasiones transparentes
creadas por riberas de corrientes elocuentes
de palabras desbordadas
por cauces de cartas cautivadas
ofrecidas sobre fuentes de poesía y consejos consentidos
que lo suelen interrogar
entre sentencias elaboradas
y platos preconcebidos
de silencios agridulces, enmascarados
por ingredientes
involuntarios
lentos
cargados
de sentimientos y hechizos
que yo misma les impongo
sin querer

Es que a él no le toca responder

me dice la médium, mirándose las manos
convencida convicta de cuentos calculados
para no herir
pero tampoco servir

la necesidad de tocar la verdad
que arde bajo las suelas de mis pies
las puntas de los dedos
mis manos de masajista fiel
al saber
que desconocer no significa no querer

que este cientista
conozca de cerca
las ciencias mágicas de mi biología corporal
producto de alguna alquimista colonial
que lo invita a observar
experimentos extraordinarios de inteligencias exóticas
dones espirituales de potencias celestiales
que lo encantarán con el humo
de un perfume exquisito sensorial
extraído del zumo de frutas fermentadas con miel
pasadas por cada poro purificado de mi piel
cultivadas en tierras desterradas
sin descubrir
precolonizadas
rebeldes
abonadas
con furor de añoranza
licor de plátano
esencia de papaya
amor desconocido
y sudor de buen amante
imaginado
extrañado
lejano
desconocido

como él.

Conversaciones amorosas y el destino tropical

(a un compañero de lucha)

Papá Dios experimentó con nosotros, los cubanos,
dándonos estos deseos insaciables
y ahora nos ha abandonado al destino...

dijiste
un sábado en la tarde

sonrisa en la cara
voz bajita
mente sabia
ceja fruncida
cuerpo tendido
corazón rendido
sexo claudicado

(por el momento)
por querer asumir este destino

de sudar y conversar
en este día estival
en esta zona
legendaria
histórica
terrenal

designada como nuevo vedado
donde los oficiales del rey colonial
reservaban su madera
para poder escapar
de los ataques de los ingleses
de los esclavos conspiradores
de la Isla sin miedo
en barcos fuertes y pulidos,
ventajeados y preparados
para vencer el pasado
y conquistar el futuro
en una eterna lucha
especial
evocando siempre el triunfo terminal
del ermitaño barbudo
del santo canónico
de la víctima del saber
en que ellos se convertirían
antes de cambiar el régimen de poder
por otro
distinto
diferente
pudiente
que no fuera de él,
rey fraternal
medieval
señuelo de la colonia
legado del presente
engaño del deber.

Pero en días como éste es la masa (¿o la chusma?) la que
determina cuál va ser nuestro destino...

espontáneo
contemporáneo
masivo
dogmático
socio-democrático
a pesar del calor
a causa del sudor
(obrero)
que todos producimos
para el mayor orgullo de nuestro país
en apartamentos-talleres como éste
donde el amor y el sexo predominan

...cada vez que nos cortan la luz...

y no nos dejamos de tocar
para quejarnos de la suerte
púdica
curtida
perdida
que corre la sociedad utópica-desengañada
imaginada-soñada
diseñada-retorcida
al verse transformada
en un pequeño paraíso tacaño

de pasiones consumidas
e idealismos invertidos
caracterizado por una oscuridad visible
que quiere hacernos impotentes

...dejándonos sin velas, sin fósforos y sin aire...

acondicionado por la esperanza y la holganza
que da la brisa libre del trópico
cuando nos sentamos y nos sentimos
conscientes
en nuestros barquitos de papel
a mecernos al ritmo del mar
solos y aislados
salubres y soldados
excitados y mojados
baterías oxidadas
timones tomados
piezas perdidas
mapas confundidos
conformándonos y conformes
con esas pequeñas golosinas
que nos damos al besarnos
al llenarnos los vacíos
uno al otro
otro a uno
para distraernos de la realidad
de esta rara
interminable

indiscutible
modernidad

¿Y ahora qué hago contigo?

me interrumpes los pensamientos
vigilando al ventilador

vieja reliquia pre-revolucionaria
doble agente del enemigo
cómplice del castigo
congelado en el tiempo por el tiempo

Tal vez se te ocurrirá algo en unos minutos

digo y te miro
taza de café sin endulzar a tu lado
tabaco encendido sin fumar en la mano
cenicero
azucarero
destino
agüero
extraviados

De pronto, te acuerdas de la soledad de mis senos
ignorados
de la solemnidad de mi sexo abierto y calado
de la comodidad de mi vientre desolado, incultivado
y el afán de trabajar esas tierras húmedas, encantadas
se apoderan de ti.

Siento tu lengua recorrer mi espalda
los poros de la piel absorbiendo
el agua de sangre salada
de este amor aferrado
de esta diversión subversiva
de las reglas y las demandas del poder
que no entendemos
ni recordamos
al estirar nuestras almas
sobre sábanas desteñidas
y camas cargadas de culpa
por pecados sufridos
y penitencias cumplidas
durante décadas incalculables de uso
y políticas extranjeras de abuso
que se adquieren como jabones en la bodega
en los días que hay
(porque a veces no hay)
en días especiales
en fechas feriadas
según calendarios cardinales
y en días como ayer
cuando no dejabas de beber
el fluido seductor
de mi cuerpo de cubana insaciada
para ir a rescatar
los milagros de la libreta
a las gordas de la dieta

que hemos, desde entonces, decidido llevar
como forma de entretener
nuestros espíritus malogrados
como método para mantener
nuestras mentes destinadas a vivir la veracidad de
esta utopía sin igual
de la vida sin atisbar
que representa la fe de confiar
en el sexo más que en el papa
en el amor más que en Marx
en el seno de la celda sensual
llena de calor sensorial y oscuridad total
mías y tuyas
que alimentan cuando no matan
que alivian cuando no cansan
nuestros ojos
de mirar
el reloj sin pila
el ventilador sin valor
el barco salir

sin rencor ni pudor
del muelle del destino
de esta isla sin fin.

Amor gringo

El amor gringo es demasiado *polite*
digo
pensando
hablando
conversando   conmigo misma
a solas
sola
en este solar del tiempo
insulada por la distancia cultural
cultivada por la geografía insular
intoxicada con el *whiskey* del recuerdo
enmascarada por la costumbre de carnaval
que me proteje de ti
raro   cariñoso   anti-machista macho   anti-egoísta ego
lindo   quieto   escuchador   de deseos

galán cuyos besos no apaciguan
capitán cuyo barco no se detiene
pontífice protestante provisional
de erudición erótico elevado espiritual
crítico constante de cascabeles-creencias
católicas
feas
represivas
que llevamos por siglos
porque prefieres penetrar en el asunto
que te concierne

que santiguarte en la cama confesional
delante de la gente
que son nuestros antepasados
fantasmas   jueces   espectadores del acto
descubridores del artefacto
que es este sexo femenino sin práctica de interrogar
negociar   expresar
los bordes de sus pasiones
los límites de sus intenciones
para contener el dolor posible de la víctima
que se esconde en la ausencia de la espontaneidad
sabiendo que el hombre no puede ser hombre sin el
orgasmo de la mujer
cosa que se cree y se dice
(hablando en teoría nada más)
esperando pruebas de algunos laboratorios gringos
cuyos resultados se anuncian siempre
a voz suave y bajita.

El amor gringo promete mucho sin pedir todo
no suele vigilar   llamar   castigar   querer saber
de tus acciones como mujer
porque eres más persona que mujer
en sus ojos foráneos
alma igualitaria   mente costumbrista
en éste
el país de los gringos
pero persona más que mujer es cosa que tú no quieres ser
latina cubana

cimarrona sancionada
amante de necesidades inconfundibles
insaciables
de mujer

al soñar en ese teléfono sonar
escuchar una voz masculina regañar
por qué te demoraste tanto en contestar
mujercita-mamita-chinita-mulatica-babysita
como hace el macho latino-tropical
estirado sobre el lecho del hábito heredado
preso de una mente sin liberar
de ese modo antiguo de pensar
sexista
machista
universal
atractivo
íntimo
personal
que predomina en nuestros países subalternos
subdesarrollados
sublevados
donde el hombre civilizado no suele pisar
sin encontrar   fascinar   amarrar
a alguna que otra latina clandestina   condenada a
prisión   desolada sin atención
que admira su modo de pensar   examinar   evaluar
que al principio le gusta
pero al final la asusta

porque la hace sentir
insegura
imperfecta
anti-atlética
objeto de tienda
comodidad del mercado
ojeada de cerca   palmada de frente   dejada sin
comprar
en espera de mejores precios
blue light specials
u ocasión especial   sin igual

Pero tú no eres igual
su igual
con tal que sigas
distinta
diferente
latina sobreviviente
que no quiere un amor eficiente   conveniente
yaciente
sino un amor sin fronteras
abierto a toda la gente
abrazador de refugiados   (típicamente americano)
pescador de pecados
que nadan en el fondo de tu mente
atrapados en la red de la certeza sensorial
la necesidad de prolongar el acto carnal
hasta el punto que no puedes más
porque al final eres tú y no él la que cuenta

en esta fábula sexual
mujerista
anti-colonial
sin fin y sin moral
de carácter didáctico indefinido
por la interpretación
penetración
concentración
del amor gringo
en tu vientre vacío
que fascina
culmina
elimina
ese sentido impuro
constante
agobiante
iluminante
de no ser tuyo.

Canto a un cantante feliz

Haz de mi cuerpo un florido jardín
donde las mariposas lleguen a inclinar
sus alas cansadas, agotadas
sus almas tupidas, desprendidas
sus ilusiones cortas y tardías
de tanto esperar
la descarga de una promesa
inadecuada
inarticulada
calculada para fomentar
amores sin inicio
temblores de orgasmos
abrazos sin razón
sonrisas sin fin.

Cantante feliz y solidario
súbeme a tus piernas tensas y ansiosas
déjame usurpar esa mujer de madera
embrujar tu mirada con el espíritu de africana
envolver tu cuerpo en mi carne y piel de pantera
mojar tu lengua bajo la lluvia de mi deseo.

Haz de mis cavernas el reposo de tu dolor
rojo y ardiente
lento y tierno
extraño y valiente

para que yo me sienta entera
liberada de esta jaula
que me encierra en la ridiculez
de tener demasiado y quererlo todo:

el sueño de mi sexo
la tentación de mi cerebro
el afán de ser mujer completa

cazadora no casada

amada autónoma

de cuerpo joven y alma anciana

entrenadora de tigres malogrados
medio de intelectos nublados
coleccionista de escultores cubistas
psicóloga de historiadores modernistas
intérprete de cuentos medievales
adivina académica
consejera de católicos confesores

maga que desaparece

el fantasma de la mentira
el remedio de esa fábula
heredada
poderosa
escondida

mejor conocida por los sujetos
del reino del olvido
que imitada por los ciudadanos
del país encantado

donde duermo sobre un petate dorado
envuelta en mi manto de vampiresa
esperando el próximo vuelo atrasado
susurrando la letra de boleros cansados
derramando gotas de sangre
y observándolas caer
sobre el piso liso y la alfombra árabe
por las puntas heridas
de mis dedos.

Esencia misteriosa y confusa
sangre extraída
de las entrañas de un clavel
su olor amenaza envenenar mi alma
(por dentro)
dejando huellas del destierro
vistas de campos vacíos y soleados
recuerdos y recordatorios
de placeres distantes y sexos golosos
cuerpos queridos
que son, en realidad,
desconocidos.

Cantante feliz y solitario
amante imaginario
de ojos nocturnos
y labios gruesos
boca llena de mieles mexicanas
y mitos absurdos:
cántame un canto de los aztecas
salva mi alma del destino de la conquista
borra de mi ser la certeza de amar en seco
cuando llevo
un mar de lujuria por dentro
una tormenta de necesidad
en el centro.

(Toco tu alma sin miedo
sola y confiada
sobre el lecho tembloroso
de este escenario del momento
sudada de escalofríos.)

¿Cómo serán los ritmos de tus gemidos?
¿Cómo serán los latidos de tu sentido perdido?

Te hago estas preguntas porque no te conozco
y es fácil
a la sombra de la letra de este poema
porque siento y quiero seguir sintiendo
el beso de una voz extraña
lamiendo mi piel desde lejos

bebiendo de mis aguas calientes
despertando en cada poro
la musa de la esperanza
cuyos dedos no sangran
cuyos gestos señalan
el sendero de la encrucijada interna
el camino hacia una mujer eterna
el manantial de la pasión compartida
la fuente de la felicidad

feliz.

Cimarrona

Buscaba un hombre elocuente
que con su elocuencia
me invitaba a hablar

rozando mi lengua con la suya
amasándome el corazón con su miel
haciéndome surco tras surco
en la mente
donde se creaban nuevos cultivos
entre manos de seda sobre piel
para entonces regarlos con semillas
de flor fulminante
resinas de palma palpitante
gotas de leche consagrada
que curaban el dolor indeciso
que llenaba mi pecho inflamado
de ilusiones y deseos tatuados
imágenes de amor consentido
collages de ardor hervido
que me marcaban siempre
y me marcan todavía
con el estigma
de ser una mujer estimulada
violada
enjaulada
en el sueño de querer a un hombre casado

fresco
sensible
confiado

de este amor que no se quita
de este fervor que no se evita
de esta celda sin salida
donde estoy castigada
víctima de la valentía desaparecida
cautiva de la rebeldía cubana perdida

emboscada por ti,
mi amor
inmerecido.

Si ahora tú me preguntaras
qué es lo que yo buscaba
yo te diría
que hoy igual que ayer

busco un hombre que me vista de leoparda
para cazarme de noche
con flechas talladas
bajo luceros verdaderos
(y no luces postizas)
para sazonarme con ron
y aceites perfumados
con vista de asarme
a la luz del día

bajo soles radiantes
de ojos amarillos
y destrezas culminantes
entre árboles, espesuras y helechos junglares
bosques de otra época
destinos de otra vía

donde los instintos sensuales reinan siempre
y la tierra sirve de cama, firme y complaciente
donde las mujeres cazadas escogen
cada día
entre hombres tiernos y reyes arrogantes
para revivir la fuerza de su pasión
inhalar el vapor de la sensación
que da una vida conyugal
fuera del juego tradicional
nacional
titular
vertical
(y no horizontal)

en que las mujeres y los hombres
saben que son iguales de importantes
iguales concordantes
iguales representantes
del tratado confirmado entre sexos
(ratificado por ambos géneros)
y firmado el otro día

entre tú y yo

cuando te atrapé en el centro de mi camino
entre sabanas fértiles y campos desolados
y te seguí por ese pasillo repentino
sin sentido de discriminación
ni necesidad de orientación
ideológica
antropológica
ginecológica

hasta donde me llevaras

con el corazón en la mano
y la brisa invitadora en la cara

hasta donde llegué

y jugué con todo lo que tenía
para poder ganarme otra noche a tu lado
absorber el placer y la mutua alegría
que después me llegaba
entre risas y abrazos
la sombra de ese intenso recuerdo tuyo

pero después nada me parecía ser cierto

menos la certeza de saber
hoy igual que ayer

que a pesar de todo tu machismo
a pesar de todo tu egoísmo
a pesar de toda tu completa y total cobardía
yo
estúpida
enamorada
ilusionada
cazada
leona-tigre-leoparda
mujer
todavía

con toda mi alma serpentina
y mis pecados originales
como mujer todavía
te quería.

Telepatía mutua

Esta noche me siento desesperada

quiero tener tus manos sobre la piel,
sentir tus labios tentar a los míos

tu lengua enredarse
con el deseo que explaya mi boca

el gusto agridulce
que exhala mi vientre

el sabor salaz
que suele permear palabras elocuentes

pronunciadas entre paredes satinadas

concavidades crepusculares

bocadas y bebidas bacanales

que te ofrece (a distancia)
este cuerpo tendido
recostado contra el recuerdo
de tu riel

deseo estallado
sexo estancado

corazón aferrado
dentro de una recámara nocturna y vacía

¿dónde estás?
(me pregunto)

¿te encontrarás con otra?
(no te quiero preguntar)
es suficiente percibir

sustituir
usurpar
sus curvas con las mías

las de esa musa experimentada
de olor y calor conocidos
consagrados
contaminados
por el hábito del saber

hasta que me ves
(imaginada)
debajo de ti
al otro lado del párpado
donde palpito
y resido
yo

la idea de mí te aturrulla
el hechizo que te hago te ruboriza

porque la lujuria de tu musa te interroga
y tienes que admitir que la telepatía nocturna
te gusta
te envuelve
te zarandea

porque sientes por el momento
la desaparición del exilio carnal
y te rindes a la cosquillosa inconciencia
que soy yo
bruja involuntaria
adivina extraordinaria
amante inocente
que consume el placer de otra
(sin querer)
y se encarna en tus entrañas
(sin saber)

oyes el sonido de mi propia vivencia vibrar en sus
pulmones
y te preguntas qué harás cuando me veas de verdad

si harán falta las expresiones amorosas
si tendrás tiempo de quitarme la ropa
si al final me fundirás a la cama-sepulcro de tu querer
y me hundirás en el mar de lacrimosas locuras
que ha creado esta distancia
que ha realizado esta lejanía cercana
que nos une y nos separa

que me hace suplicar tu penetración telepática
y me mece contra la marea de tu mente
hasta amarrar tu ausencia
dentro del tejido de mi conciencia
impregnándola con tu sexo
entre sábanas deshabitadas
soledades desoladas
almas despojadas
poesía y parodiada
pasión nacida
de pluma y papel.

Confesiones de sobremesa

I. Antojitos criollos

—Y después de todo eso
¿qué tienes? Nada.

lo digo sin pensar
escupiendo las palabras
arrepentida al instante
desasosegada por el tema
inconsciente por el momento
en que tú me miras

fascinado

—Nada
la idea no se te había ocurrido antes
pero la idea me obsesiona a veces
cuando estoy contigo
y hablamos   (del sexo)

conquistas sexuales   (labios rajados)

novias perdidas   (el deseo insaciable)

cosas de muchacho   (el desespero por tenerte)

el instinto por vencer   (estas ganas prohibidas)

añoranzas por un amor eterno   (mi capacidad de amar)

es demasiado para ti

no terminas de comer

me miras
tu voz nostálgica
tus ojos sospechosos
penetrándome los pensamientos   (*no cojas miedo*)

—*Nada*
repites la palabra, paladeándola con la lengua.

II. Algunos platos fuertes

Fijo los ojos en el mantel de la mesa
pensando
soñando   (en tus besos)
en estas conquistas sexuales

—*¿Fueron realmente conquistas para ti?*
Lo dudo.

te cuento
—*Fueron una negación de duda*   (una prueba de debilidad
femenina)

evidencia de la capacidad de vencer (síntoma de la necesidad
de querer)

recetas para curar heridas (remedios para sentir
completa)

sin crear heridas nuevas (llenándome el pecho de
ellas
entrecruzándolas por la
espalda)

sólo por el mero placer

(de querer explorar
las cuevas de mi ser)

de estar

(como estoy)

viva.

—¿Pero ya no sientes esas necesidades?
—No quiero enredos personales (ni recuerdos corporales)

de palabras enojadas (y suspiros desgastados)

de culebras escondidas (y navajas afiladas)

entre sábanas sudadas (y lenguas devoradas)

por el dolor de sentir (mi alma perdida)

el infierno de ser (parte de ti)

dependiente (amada)

incapacitada   (seducida)

triste   (mojada)

olvidada   (marginada)

Ahora tú me recuerdas
de la necesidad de comer
en ocasiones como ésta

  —...ahora que ya te sientes entera,
  debe ser otra cosa para ti...   (por lo menos
              contigo)
—Sí, ya esas cosas no me interesan

sonríes
suspiro
     ¿Que te pasa?
Nada.

comes
pienso

—¿Y tus heridas por dónde andan?
  —Escondidas dentro de mí
cubiertas por el manto de autoestima sexual
disfrazadas de esa exquisita tensión sensorial

                    (que se desprende de tus labios)

que se transmite por las manos
cada vez que trabajas el barro
(de mi piel)

heridas escondidas
detrás del escudo de poder   (que heredaste de tu
                                        padre)
y la capacidad de convencer   (que le robaste a tu
                                        madre)
que usas para distraer
para tapar y así no perder
ese corazón roto y sangriento
de bordes polvorosos y cavernas profundas

ese corazón
de carne preciosa y sangre antigua   (que tan tierno
                                            puede ser)
cuando no endurecido por la resina
que le echa   (sin querer)
la guardia de tu corazón
la vecina de tu alma
la centinela materna
de tacaño amor
y vil crianza
que siente una rabia   (por dentro)
y te hace revivir el pasado

regido por un padre que viaja mucho y visita poco
que regresa lleno de pasión y escaso deseo
   …por una madre que dejo de ser madre…
para convertirse en el cascarón de un atardecer.

—En mis ojos esa madre tuya
no es nada más que una mujer
que hace lo que hacen casi todas las mujeres
cuando viven traicionadas…
guarda su furor en la jaba de *los mandaos*
para enterrarlo en los pertrechos de la cocina
para sacárselo a los hijos a la hora de la cena
con el café del desayuno
y la merienda de la una
en vez de servirles la comida en paz
y mostrar su rabia a su marido
dándoles algo de cariño a sus hijos
acostumbrándolos a querer
el sudor del vapor y el calor del humo
que les da el cuerpo de la olla y no el corazón efervescente
de las faldas de su madre
de las nalgas de su amante
del alma pura y ferviente
de cualquier mujer

   —…que tenía 24 años para ese entonces y yo 16. Las
   muchachas se reían de mí. Cuando me visitaba en la escuela
   al campo, le decían "tu mamá"…

—Pero esa mujer no te transformó de niño
porque ya tú estabas transformado...

—Sí, la vida en Cuba se encargó de eso
haciendo de ti un diseñador de corazones
hechos de cerámica
lindos y enterizos
que después obsequiabas a los extraños
sabiendo que también padecían
de un corazón defectuoso y cavernoso   (igual que el
                                                tuyo)

hijo legítimo de la creatividad
que siente mucho y dice poco
que ama hirviendo y abraza caliente
que huye del amor vehemente   (porque te da miedo)
y así sufre solo
la negación de la vida
el descalabro del sexo
que quiere negarlo todo
que te aleja de la ayuda
que te aparta de la política
que te hace creer que no existe
más de una noción de Cuba
sabiendo que admitir tu amor
sería igual
que aceptar lo que más añoras   (un corazón de verdad)

el sueño ancestral
con todos sus defectos
con todos sus salidas
hacia una nueva realidad
hacia la ilusión de la libertad
hacia la finalidad verdadera
de un destino femenino
que es penetrar
al cuerpo y espíritu de
una mujer.

III. A propósito de entremés

    —*¿Y ahora qué hacemos?*
viene el mesero
ofreciéndonos ensalada
para limpiar el paladar
—*Algo para refrescar*
y asistirnos en el enjuagar   (de la memoria de la
                         noche y del pasado)

    —*No sé. No me decido.*
Miras al plato, sondeando su curva
absorbiendo la incertidumbre
que toma posesión de la mesa
que tranquiliza tus manos
que paraliza tu lengua   (pero no la mía)

Y te miro
endrogada
por el hechizo de tu mirada
por el deseo de ser aliviada
de esta distancia histórica y cultural
que asusta y define
lo nuestro
lo mío
lo que quiero

—¿*Quieres probar del mío?*
digo, ojeando mi plato de porcelana (que no es igual que
la cerámica)

y pruebas de mi plato,   (llenándome de ganas)
ofreciéndome a cambio,
una cuchara llena
de sangre y espuma del mar
que me enciende por dentro
y me hace pedirte más

hasta que decidimos irnos
después del postre
…*como todo buen cubano…*
incluyendo los cubanos de memorias frías   (y acentos
lejanos)
de visión ajena   (y culpa liviana)
que no se acuerdan de nada
y andan descalzos

pidiendo limosnas
de pobres y paisanos,
admirando a los ricos
aplaudiendo a los villanos
mientras que esperan
transplantes de corazones
hechos de plástico
fabricados en Estados Unidos
que laten al ritmo del mambo   (en vez de la rumba)
que duran casi tres vidas   (en vez de una)
sin batería recargable ni diseño confundible
con los gustos y las normas
de los corazones de cerámica
que haces para alegrar
y así apoyar
a los desencantados de tu mundo
entre los cuales
me encuentro yo
me disfrazo yo
me pierdo yo
en el vacío.

IV. EL POSTRE

    —¿Qué quieres de postre?
preguntas
y el pícaro salta en tus ojos
invitándome a bailar
con el sonido de tu risa   (aunque no me siento de
        risa)

queriendo hacerte probar
de esa delicia delicada   (de esa rareza salvaje)
que es el consumo caníbal
de la carne y el jugo
de este corazón
de cubana creada
de mujer pintada
de imperialista ocultada

de mi corazón
entero
sin confeccionar
dejado a madurar
púrpura de color
suave de textura
relleno de amor
que sabe a la verdad y no a la mentira
que refresca y endulza el paladar
sin dejar huellas, ni manchas
ni fragancia alguna
de ese país extraño   (de rubios y bazares)

mi corazón
cuyo sabor invade el cuerpo al instante
y lo deja impregnado por siempre
conquistado
soñoliento
inconsciente

del verdadero problema que representan
estos corazones   (plásticos y de cerámica)
y el desafío que encaja al mío

que no sabe hacerte comprender
que la cerámica es fría
que la carne es caliente
que mi corazón no es de cerámica
sino de material superior   (porque es natural)
de duración mejor
que cualquier opción
que ofrece el menú

pero su exotismo te hace dudar
te hace recalcular
te hace recaudar
el precio del riesgo
que simboliza este corazón
mío

feo
crudo
distinto
demasiado grande
que no sirve para exhibición
que no cabe en los lechos
que no se acomoda al pecho
que querrás sólo por un rato
que luego rechazarás   (con el desdén del gato)

por su falta de decoración
por no pegar con los colores
por no integrarse a los olores
que emanan de la cocina
donde mezclas los ingredientes
que se encuentran en la isla
la fuente del barro
que usas en tu taller

donde este corazón
late por gusto
disolviendo
su propia carne
por el azar de convertirse en cerámica   (y no en
                                                   plástico)

porque es más fácil
porque es más puro
porque existe sin categoría
ni psicólogo que la analice
ni periodista que la entreviste
y deja de vivir como soldado que resiste
el papel que le toca
en esta guerra sin fin
donde el cimarrón persiste
en su afán
de buscar
nueva razón
de ser.

Y así
seguimos conversando   (entre el amor y el
                                      desprecio)
sin darnos cuenta
ni de la hora ni del tiempo   (ni del deseo ni del sexo)
que nos sirve para pagar la deuda
del pasado y del destino
regidos por nuestros padres
negados por nuestras madres
imaginados por nosotros
como otro amanecer
en que tendremos absolución
bajo otro papa   (de nuevo culto)
que nos dejará compartir
el divino gusto
de tener un solo corazón
que late al ritmo
del orgasmo y de la danza
de la despedida y la añoranza
que sentimos ahora que tragamos
y disfrutamos
y saboreamos
el aroma y la ternura de
las confesiones diurnas
los deseos prohibidos
el sabor cotidiano
de este simple
eterno
y fuerte
café.

Último poema

(recuerdo de un viaje inesperado)

Te recuerdo, mi amor,
como eras ayer
y como eres después
tierno niño-hombre de mi pasado
gato-león inocente, salvaje
de manos lisas
e ideas fuertes
de garras afiladas
y abrazos complacientes.

Tu mirada era demasiado intensa
para mí
(a veces)
por eso quise amarrarte con mis brazos lejanos
enredarte en sogas floridas de regalos
amarte con mi alma diáfana de deseo
darte mi cuerpo bonito de gitana

todo eso
pero no me dejé.

Navegar contigo el mar de ese sueño
fue naufragar en el pozo de la pesadilla

fue todo un intento frívolo   (mal pensado)
por hacernos sentir
la misma ternura de antes

recordar
esa ternura mía y tuya
que nos sonríe todavía
que nos entiende de cerca
que aún parece llenar el horizonte de mi vista
con sus brisas coloridas
e ilusiones transparentes
imponiéndose
como suave espada
entre el orgullo del placer
y la humildad de tener
alguien que te ama
todavía
en el fondo de su ser.

Te recuerdo como antes, mi amor,
y como después
como algunos versos desconocidos de Neruda
envueltos en el crimen de ser leídos
por seres no sentidos.

Te recuerdo, mi amor,
suave y duro a la vez
lento y abierto
dulce-salado de tez

tu cara agobiada por el esfuerzo de hacer sentir
de no hundir tu ser perdido,
mis piernas enlazando
tu cuerpo tenso, animado
tu boca mojada suspiraba
haciéndome creer que yo era
la única mujer
que tú amabas

tieso animal de instintos selváticos
de olores exquisitos
de temblores soterrados
de alientos tropicales
puro y profundo,
siempre y nunca mío.

Te recuerdo, mi amor, como antes
y como después
delante de la testiga del olvido
de la profeta de un intelecto confundido
del guardián de una promesa linda
mía y tuya
musa de una esperanza lejana
que irradia todavía
entre un vientre caliente
y un corazón vacío.

Te recuerdo, mi amor, como antes
como después
como siempre

como la bella paloma blanca
que estira sus alas
en el umbral del atardecer.

ISEL RIVERO

Words are Witnesses
Las palabras son testigos

I.S.B.N.: 978-84-7962-649-5

Words are Witnesses / *Las palabras son testigos* reúne por primera vez una parte esencial de una obra poética capaz como pocas de poner al descubierto las hechuras de la condición humana. Y lo hace no a pesar, sino precisamente por carecer de ese sentido de pertenencia a un lenguaje y una tradición en que se regodean tantos autores. Isel Rivero forma parte de ese grupo de poetas que escriben desde el limbo vital y literario del exilio. Poetas insignificantes para los que aman las simplificaciones pedagógicas, poetas cruciales para los que ven en los desplazados la imagen de nuestro inquietante ahora.

La poesía de Rivero no hace de las fracturas que la alejan de las normas un motivo de engreimiento; y sin embargo, esta diferencia caracteriza formal y anímicamente sus poemas.

A quienes ya conozcan su obra en español, este volumen les revelará un mundo renovado por el uso de otra lengua. Para los que no tengan noticia previa de la autora, supondrá una sorpresa mayor: el descubrimiento de que la poesía no respeta las fronteras que ciertos gendarmes quieren imponernos.

LAURA YMAYO TARTAKOFF

Inventario
y otros poemas

I.S.B.N.: 978-84-7962-785-0

Laura Ymayo Tartakoff se inscribe en la promoción de cubanos que muy jóvenes marcharon al exilio. Como José Kozer, Lourdes Gil, Orlando González Esteva, Carlota Caulfield y Jesús Barquet, entre otros, ha desarrollado su personal expresión poética en ese universo. Comparte con ellos cierta nostalgia de paisajes y vínculos perdidos y el saber insertar en su creación una novedosa cartografía existencial.

Sus poemas se construyen en un fluir narrativo, entregado más a la llamada "poesía de la experiencia", de raigambre anglosajona. Con esa claridad y precisión ha construido sus poemas. La concisión de sus versos, a veces atravesados de elocuentes elipsis y de silencios sonoros, confiere esa claridad que la distingue.

"Descubriremos [en los poemas de Ymayo Tartakoff] atinada mezcla de

registros afectivos y delicado humor y un candoroso lirismo respaldado por una indeclinable apuesta vital".

CARLOS ESPINOSA DOMÍNGUEZ, *El Peregrino en comarca ajena.*

LOURDES GIL

Anima vagula

I.S.B.N.: 978-84-7962-834-5

"En un lenguaje a la vez fluido e incandescente, Lourdes Gil se adentra en la sutil relación entre el amor y la muerte, y evoca el dolor y la belleza que pueden surgir entre las ruinas de la historia, la memoria y el desarraigo. En trágica letanía, la poeta se une al coro de voces literarias, pasadas y presentes, para invocar las sombras de una larga fila de personajes reales y míticos, cuyas vidas icónicas y destinos a menudo fatídicos, actúan como un testimonio a la violencia y la infamia que resultan del poder desmedido, así como la absoluta vulnerabilidad del individuo que se enfrenta a fuerzas más allá de su control."

ANDREA O'REILLY HERRERA